Le baiser mauve de Vava

Texte de

Dany Laferrière
de l'Académie française

Illustrations de

Frédéric Normandin

à Sophie Marie qui ne sait pas encore lire, ni même parler, mais qui comprend l'amour mieux que personne car elle est déjà folle d'une mouche, d'une grosse chienne, d'un dangereux couteau, d'une porte, d'un nuage, d'un ourson, d'un caillou jaune et de sa main gauche.

Dany

Photo : Éléanor Le Gresley

Photo : Michel Caron

Pour Mérédith, reine des coccinelles et amie des papillons,
les cœurs chavirent déjà autour de toi.
Pour Isabelle qui cache dans ses yeux toute la lumière des mers du Sud :
Insondables et terribles dans la nuit,
promesse de millions d'émeraudes au premier rayon de soleil.

F.

Pour la magique Clémence autrice d'un livre avec 2 tomes

avec tendresse

"Cacaprout"

La dictature,
c'est le Monstre qui empêche
un garçon de dix ans de visiter
son amoureuse qui a la fièvre.

Poème à Vava
Vava, ma lune de midi,
mon soleil de minuit.
Je te sens partout,
mais je ne te vois nulle part.
Où sont les papillons jaunes
qui font tant battre mon cœur ?
Poèmes à Vava
Je suis content de voir
mon ami l'Oiseau noir.

Je vais lui confier
ce poème pour Vava.

Da est avec Fatal, le cordonnier.
Il est arrivé un malheur.
Fatal apporte toujours de mauvaises nouvelles.

Da m'a dit qu'il se passe des choses graves dans la ville. J'ai le cœur serré quand Da est triste.
Les trois Mousquetaires
La belle au bois dormant
LE CHAT BOTTE

Pourquoi la mère de Vava est-elle si malheureuse?
Le canard me le dira.

Mes amis, Rico et Frantz,
m'invitent à jouer au football.
Ils ne savent pas encore ce qui se
passe dans la ville et dans mon cœur.

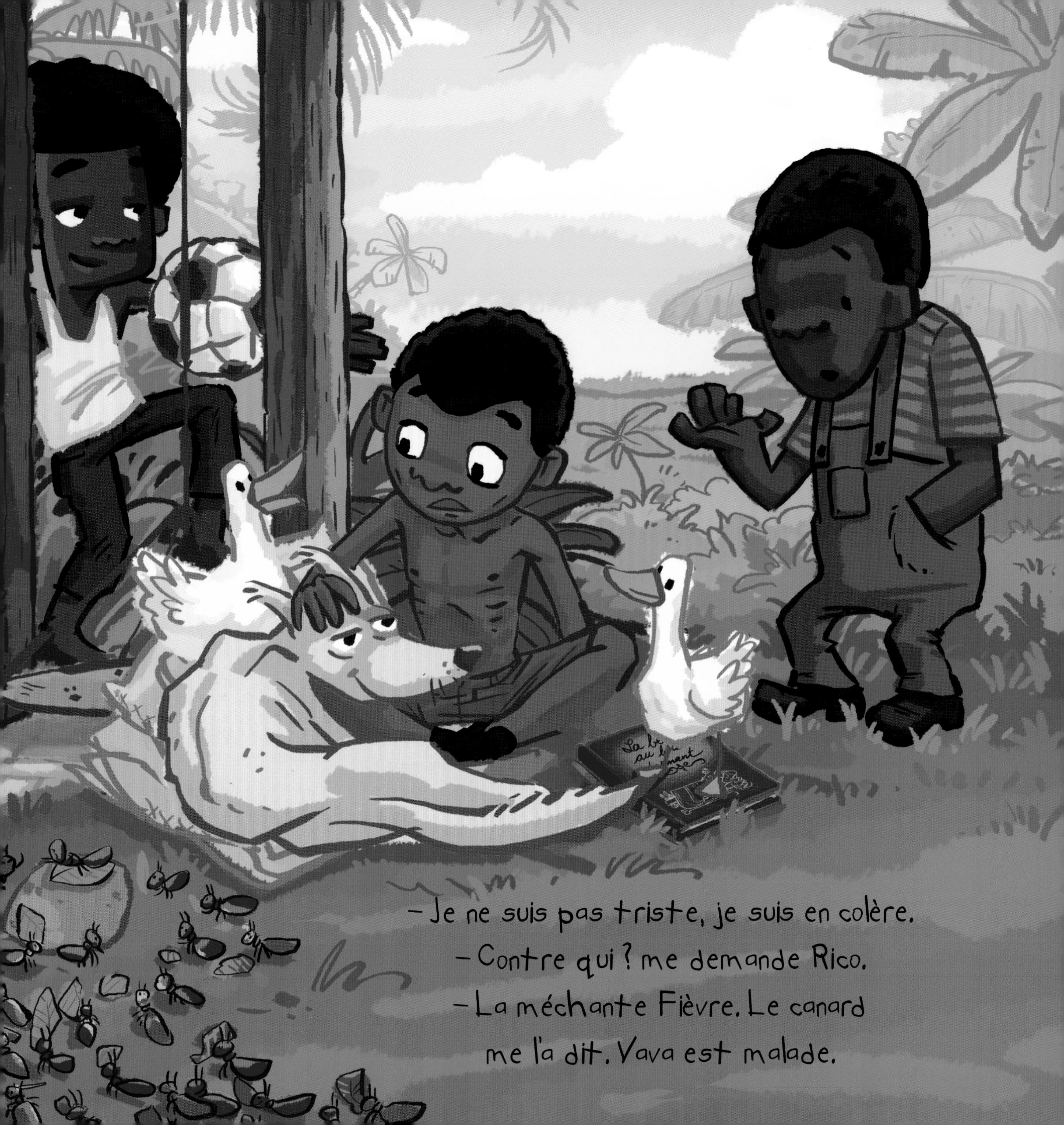

– Je ne suis pas triste, je suis en colère.

– Contre qui ? me demande Rico.

– La méchante Fièvre. Le canard me l'a dit. Vava est malade.

Comme je ne peux pas voir Vava, je l'imagine dans un poème.

Vava

Tes joues sont chaudes,
ta langue est sèche,
tes yeux sont pleins de fièvre
et mon cœur brûle pour toi.

Je marche dans la ville, et personne ne me voit.
Les hommes à lunettes noires sont partout.

Da m'a dit qu'ils portent des lunettes noires
pour qu'on ne les reconnaisse pas. Je me glisse derrière
le notaire Loné en pleine discussion avec le docteur Cayemite.
Mais qu'est-ce qui se passe ?

Cette nuit, j'ai fait un horrible cauchemar.

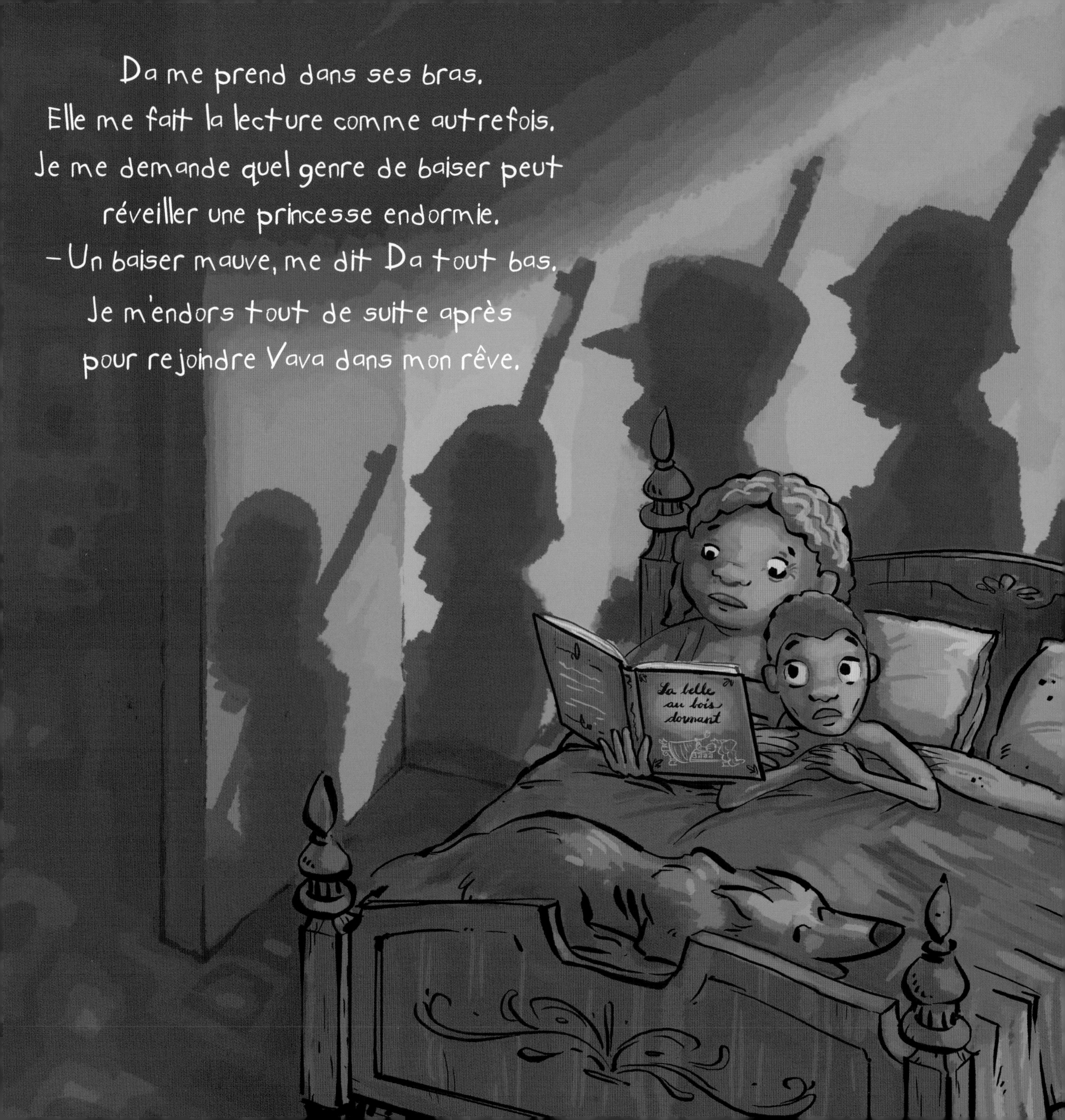
Da me prend dans ses bras.
Elle me fait la lecture comme autrefois.
Je me demande quel genre de baiser peut
réveiller une princesse endormie.
– Un baiser mauve, me dit Da tout bas.
Je m'endors tout de suite après
pour rejoindre Vava dans mon rêve.
La belle au bois dormant

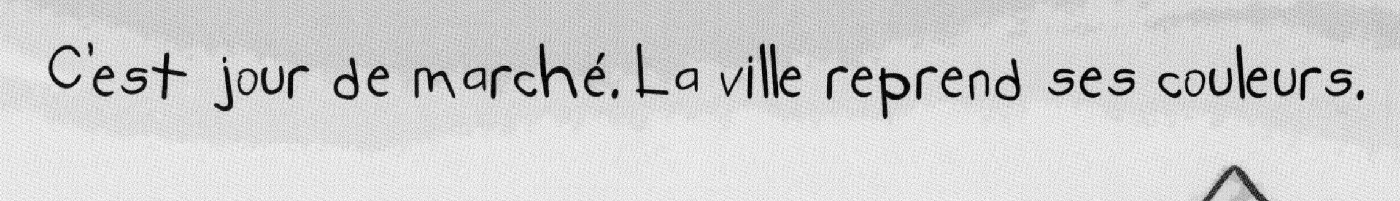

C'est jour de marché. La ville reprend ses couleurs.

Marquis file avec un poulet nu. La marchande est fâchée, mais ça fait rire le vendeur de poules.

Quand je reviens de l'école, je trouve toujours quelques mangues dans la cuvette. J'aime tellement la mangue que j'oublie ma tristesse. Marquis n'est pas fier de moi.

– La petite ne va pas bien, murmure Da en voyant passer la mère de Vava avec le docteur Cayemite. Avec tout ce qui se passe dans la ville, ce n'est pas un bon moment pour être malade, ajoute Da.

Mes amis, Frantz et Rico, viennent me voir.
Personne n'a le droit d'être dans les rues,
ce soir, à part les hommes à lunettes noires.
Les gens se dépêchent de rentrer à la maison.
Frantz et Rico retournent chez eux aussi.
Il ne me reste plus que Marquis et les canards.

Au milieu de la nuit, je mène ma petite troupe à l'attaque du château où la méchante Fièvre retient la princesse prisonnière.

Je grimpe dans l'arbre pour pénétrer dans la chambre de la princesse quand soudain c'est l'attaque.

Le brave Marquis se lance dans la bataille, mais le Monstre est déchaîné. Je suis en danger.

Les canards plongent comme des avions
sur le Monstre qui fuit en poussant
de petits jappements aigus.

Je pénètre dans la chambre tapissée de papillons jaunes.
Je sens bouger les murs autour de moi. Je n'arrive pas à respirer.
C'est plus fort que dans un rêve. Je donne un baiser à la princesse endormie.

Au retour, les gens nous observent,
cachés dans leur maison. Marquis, tout fier, est en avant.

Les hommes à lunettes noires font
semblant de ne pas nous voir.

Da m'attendait près de la fenêtre.
Elle était très inquiète.
Je lui raconte notre aventure.
Elle m'écoute sans dire un mot.

À la fin, elle me caresse le visage.
Puis elle embrasse Marquis,
ce qu'elle ne fait jamais.

Da tourne en rond dans la chambre. Quand elle est comme ça, c'est qu'elle a des choses importantes à me dire.

Ma mère veut que je rentre à Port-au-Prince, près d'elle.
Petit-Goâve est devenu trop dangereux avec tous ces gens armés.
Je dis à Da que je ne veux pas quitter Vava.
Port-au-Prince est plus loin que le bout du monde.
Da me fait un sourire si triste que je fonds en larmes.
Elle me prend sur son sein plus doux qu'un oreiller,
et le sommeil est venu tout de suite.

VIEUX OS : Pourquoi Vava ne s'est pas réveillée, Da ?
Je lui ai donné un baiser, et il était mauve !
DA : Ça prend du temps avant de faire son effet, Vieux Os.
VIEUX OS : Et si elle ne se réveille jamais ?
DA : Il faut avoir confiance.

Le chauffeur klatonne pour dire qu'on doit partir. Da me donne une lettre pour ma mère et me garde un moment contre son corps chaud qui sent le bon café du matin. Tout va si vite que je n'ai pas le temps de dire au revoir à la mer, aux montagnes et au ciel de ma ville.

Où est Marquis ?

Le voilà enfin !

Oh, Marquis, mon brave Marquis,
tu dois toujours protéger la princesse.

Les hommes à lunettes noires contrôlent toujours la ville.
Les gens sont inquiets. Da m'a dit : « Je sais que tu es triste,
mais tu es un poète, et les poètes peuvent changer la couleur du jour. »

On est tous inquiets dans le camion.
Soudain une explosion de joie.
C'est la mère de Vava.

– La fièvre est tombée. Ma petite fille est guérie ! Dieu soit loué !

La princesse est réveillée.
La ville est sauvée !

Le rêve jaune

C'est la révolution des papillons.
Et toi, Vava, tu es leur princesse.
La princesse des papillons.
Tu n'ouvres les yeux
que dans mon rêve.
C'est là qu'on se reverra.
Le temps
ne changera rien.

Je pars pour Port-au-Prince.
Je t'enverrai des nouvelles par
mon ami l'Oiseau noir.

Vava, tu seras toujours dans mon cœur.
Poèmes à Vava

Sur la table à dessin de l'illustrateur...
TXT

DANY LAFERRIÈRE ET FRÉDÉRIC NORMANDIN
AUX ÉDITIONS DE LA BAGNOLE :

La fête des morts
Je suis fou de Vava

Découvrez l'application
Je suis fou de Vava
disponible sur
App Store

Catalogage avant publication de Bibliothèque et Archives nationales du Québec et Bibliothèque et Archives Canada

Laferrière, Dany

Le baiser mauve de Vava
Pour enfants de 5 ans et plus
ISBN 978-2-923342-86-3
I. Normandin, Frédéric, 1972- . II. Titre.

PS8573.A348B34 2013 jC843'.54 C2012-942379-3
PS9573.A348B34 2013

GROUPE VILLE-MARIE LITTÉRATURE
VICE-PRÉSIDENT À L'ÉDITION
Martin Balthazar

ÉDITIONS DE LA BAGNOLE
ÉDITRICE ET DIRECTRICE LITTÉRAIRE
Jennifer Tremblay

INFOGRAPHIE
Anne Sol

LES ÉDITIONS DE LA BAGNOLE
Groupe Ville-Marie Littérature inc.
Une société de Québecor Média
4545, rue Frontenac, 3e étage
Montréal (Québec) H2H 2R7
Tél. : 514 523-7993 • Téléc. : 514 282-7530
info@leseditionsdelabagnole.com
leseditionsdelabagnole.com

ISBN 978-2-923342-86-3
Dépôt légal : 2e trimestre 2014
Bibliothèque et Archives nationales du Québec
Bibliothèque et Archives Canada

Nous remercions le Conseil des arts du Canada de l'aide accordée à notre programme de publication.
Les Éditions de la Bagnole bénéficient du soutien de la Société de développement des entreprises culturelles du Québec (SODEC) pour leur programme d'édition.
Gouvernement du Québec – Programme de crédit d'impôt pour l'édition de livres – Gestion SODEC

Financé par le gouvernement du Canada | Canada

Merci à Michel Therrien pour sa précieuse collaboration

Imprimé en Chine

DISTRIBUTION EN AMÉRIQUE DU NORD
Canada et États-Unis :
Messageries ADP Inc.*
2315, rue de la Province
Longueuil (Québec) J4G 1G4
Pour les commandes : 450 640-1237
messageries-adp.com
*Filiale du Groupe Sogides inc. ;
filiale de Québecor Média inc.

DISTRIBUTION EN EUROPE
France :
INTERFORUM EDITIS
Immeuble Paryseine
3, Allée de la Seine
94854 Ivry-sur-Seine Cedex
Pour les commandes : 02.38.32.71.00
interforum.fr

Belgique :
INTERFORUM BENELUX SA
Fond Jean-Pâques, 4
1348 Louvain-La-Neuve
Pour les commandes : 010.420.310
interforum.be

Suisse :
INTERFORUM SUISSE
Route A.-Piller, 33 A
CP 1574
1701 Fribourg
Pour les commandes : 026.467.54.66
interforumsuisse.ch